KB104137

우리들 외에도

출처

㈜ 정림건축, 김정철 서체

(김정철 명조, 김정철 고딕)

우리들 외에도

글 한세아

- 목차 -

프롤로그

내 이름은 이다연이다.

얼마 전까지는 평범한 중학생이었는데 어느 순간 꿈속에서 있었던 일이 현실에도 일어나기 시작했다. 예를 들어 반장이 누가 되는지, 누가 친구에게 고백하는지, 심지어 가끔 로또 번호가 나오기도 했다.

'그러면 뭐 해.. 내가 할 수 있는 것도 없고 어차피 중학생이라 로또도 못 사는데.'

그래도 가끔 도움이 되는 꿈이 나오기도 한다. 반장 선거를 나갔을 때 떨어졌지만 꿈이라서 아무도 모르고 쪽팔리지 않았다. 그래서 가끔 도움받고 이런 일을 알아서 안 좋을 것도 없으니 신경 안 쓰고 살고 있었지만 꿈에서 일어나는 일이 점점 심해지는 것 같다.

'기분 탓일 거야. 실제로 이루어지지 않는 꿈들도 있으니까..'

꿈을 꿔도 안 이루어진 적이 있다.
물론 아주 가끔이다.

제 1장

평소와는 다른 상쾌한 아침이었다. 어제 늦게 잠이 들었음에도 이런 상쾌한 아침을 맞아본 건 처음이었다. 게다가 주말이니 너무나도 기분이 좋았다. 그렇게 신나 하던 중, 엄마가 들어왔다.

"다연아, 엄마랑 같이 놀러 갈래?"

평소라면 짜증 났을 텐데 오늘따라 기분이 나쁘지 않았다. 그래서 흔쾌히 가자고 했다. 지하철을 타고 가려고 지하철역에 들어갔지만 바로 앞에서 지하철을 놓쳤다. 5분 후 다시 지하철이 왔고, 우리는 백화점으로 향했다. 백화점에 도착 후 예쁜 매장을 찾다가 어느 한 매장에 들어갔다. 그곳엔 내 스타일은 아니지만 왠지 엄마가 좋아하실 거 같은 옷들이 가득했다. 나는 예쁜 옷이 있나 계속 둘러보던 중에 엄마가 옷을 골라달라고 하셔서 나는 예쁘고 화사한 꽃무늬 원피스를 골랐고 엄마는 마음에 들어 하셨다. 계산한 뒤, 점심 시간이기도 하고 배가 고파서 식당가로 향했다.

식당가에는 분식, 양식, 중식, 일식, 한식 등 여러 가지 맛있는 음식들이 많았다. 나는 솔직히 초밥이 먹고 싶었지만, 엄마가 해산물을 별로 안 좋아하시기도 하고 중식을 먹고 싶다고 하셔서 우리는 중식집으로 들어갔다. 우리는 자장면과 짬뽕, 탕수육을 시키고 엄마와 이야기할 거리를 찾다가 마침 탕수육이 나왔길래 밸런스 게임이 생각났다.

"엄마, 엄마는 부먹이야, 찍먹이야?"

"엄마는 부먹이야, 너는?"

"헐.. 진짜? 나는 찍먹이야! 부어 먹으면 눅눅하고 너무 많이 묻어있어서 별로야."

"부어먹는 게 원조인 건 알지? 당연히 부어 먹어야지.. 그러고 보니 그럼 이 탕수육을 어쩌지?"

"내가 엄마를 위해 양보할게! 오랜만에 놀러왔으니까. 대신 다음엔 나한테 양보해 줘야 해!!"

사실 부먹을 별로 안 좋아하긴 하지만 엄마랑 놀러 온 게 오랜만이니까 한 번 정도는 양보할 수 있을 거 같아서 그냥 부어 먹었다. 이어서 자장면이랑 짬뽕이 나왔다. 내가 짬뽕을 먹고 엄마가 자장면을 먹었다.

그런데 하필이면 엄마와 내가 흰옷을 입고 있었다. 원래 자장면이랑 짬뽕을 먹을 때는 옷에 잘 튀어서 대부분 흰옷은 피한다. 우리는 엄청 조심해서 먹었지만 아무래도 아예 안 묻히고 먹는 건 무리였다. 짬뽕이랑 자장면이 우리 옷에 아주 많이 묻어있었다. 그래도 엄마는 새 옷이 있었고 화장실에서 갈아입고 나오셨지만, 나는 산 옷이 없어서 민망했다.

그래서 엄마가 오랜만에 새 옷을 사주신다고 하셨다. 얼마 전까지는 내가 인터넷에서 알아서 샀는데 오랜만에 내 옷을 오프라인에서 산다고 생각하니 신나고 기대가 되었다.

나는 빨리 쇼핑몰로 들어갔다. 아무 곳에나 들어가긴 했는데 옷들이 나쁘지 않았다. 나는 힙한 곰돌이가 그려져 있는 티셔츠랑 회색 후드 집업, 흑 청바지를 사고 바로 갈아입었다. 완전 마음에 들었다.

옷도 사고 밥도 먹고 나니 할 게 없어졌다. 우리가 11시쯤 나왔는데 아직 2시밖에 안 지나 있었다. 지금 집에 돌아가면 어차피 심심하게 집에 있을 거 같고 오랜만에 엄마랑 하는 데이트이기 때문에 바로 집에 가지 않고 이번에 새로 나온 영화를 보러 가기로 했다. 마침 두 자리도 남아 있어서 바로 예매하고 팝콘이랑 콜라를 샀다. 아무래도 즉석에서 보러 가는 거라 시간이 촉박했기에 화장실을 갔다 오지 못했다. 우리는 허겁지겁 상영관인 4관에 들어갔고 영화를 보기 시작했다.

1시간쯤 지났을 때 방광에서 신호가 오기 시작했다. 영화는 곧 끝날 거 같은 분위기라 조금 버텨 보려고 했다. 원래 소변에는 1차가 있고 2차가 있다. 1차는 그럭저럭 참을 만하고 점점 안 마려워지지만 2차는 1차 때 보다 2배는 더 마렵고 참기 힘들다. 그래서 1차가 지나고 있을 때쯤 다연이는 조금 지려버렸다. 그러고는 1차가 완전히 지나가고 중간 틈 사이에 화장실을 다녀오기로 했다.

1차가 지나고 엄마에게 화장실 다녀오겠다고 말했다. 하지만 엄마가 같이 가준다고 했다. 엄마가 따라가면 미안할 뿐만 아니라 오줌을 지린 걸 들키고 말 거다.

“아니야! 내가 잘 갔다 올게. 엄마는 걱정하지 말고 편안히 영화 보고 있어. 내가 미안해서 그래.”

“그래? 미안한 거 없는데.”

“아니야!! 내가 아직 어린이인 것 같아? 나 벌써 중학생이야!”

“아니 엄마도 가고 싶어서 그래. 갈 거면 같이 가는 게 낫지. 그래도 혼자 가고 싶으면 네가 마음대로 갔다 오든지.”

겨우 엄마와 헤어지고 빨리 화장실로 향했다. 다행히 많은 영화가 상영 시간이고 화장실이 가까워서 아무에게도 들키지 않았다. 하지만 화장실엔 우리 반 지유가 있었다. 지유도 가족들이랑 영화를 보러 온 듯 보였다.

“어! 너 이다연 맞지! 2학년 4반 이다연! 나 지유야! 너도 영화 보러 왔어? 나 이번 신작 이미 보고 나왔는데 엄청 재밌더라.”

"어? 어.. 어 나도 신작 보러 왔어.. 하하.."

"엇.. 근데 너 바지에 뭐 묻은 거 같은데. 이리 와봐 내가 떼어줄게!"

"아앗.. 아니야!! 아무것도 안 묻었어..!! 나 화장실이 급해서.. 들어갈게!! 미안, 학교에서 봐..!"

쾅! 나는 문을 세게 닫고 소변을 보기 시작했다. 다행히 많이는 지리지 않아서 말릴 수 있을 거 같았다. 우선 최대한 휴지로 닦고 흔들어서 말렸다. 최대한 들키지 않게 움직여서 상영관으로 들어갔다. 영화는 끝나고 노래가 나오고 있었다. 엄마는 나를 기다리고 있었고 나는 곧장 엄마에게로 향했다.

"이다연!! 왜 이렇게 늦게 왔어! 엄마가 엄청나게 걱정했잖아. 그래서 엄마가 같이 가자고 했지."

"미안 큰 거 보느라.."

나도 모르게 거짓말을 하고 말았다. 다행히 엄마는 믿는 눈치였고 내가 지렸다는 걸 모르시는 것 같았다. 그래도 내가 중학생인데 지렸다는 게 민망하고 창피했다.

우리는 다시 지하철 타고 우리 집으로 돌아왔고 아직 피곤하지 않아서 하루를 마치는 김에 일기를 썼다. 그러곤 잠이 들었다.

제 2장

오늘은 어제와 달리 몹시 피곤한 하루였다. 그러고 보니 오늘은 학교에 가는 날이었다. 다연이는 얼마 전부터 학교 가는 게 너무 싫어졌다. 그 이유는 바로 친구들 때문이었다.

어느 날부터 친구들은 다연이를 은근히 따돌리기 시작했다. 다들 생각하는 그것, 은따. 다연이는 얼마 전부터 은따를 당했다. 예를 들어 다연이만 쏙 빼놓고 모르는 이야기를 하는 것, 나 몰래 자기들끼리 만나서 노는 것, 심지어는 뒷담까지 깠다고 했다. 그 친구들이 내 뒷담 까는 걸 어떻게 알았냐고? 바로 그 무리에 있는 십년지기 친구, 수진이가 말해 주었다.

수진이는 내가 5살 때부터 친했던 소꿉친구이다. 내가 유일하게 믿는 친구. 어릴 때부터 엄마들끼리 알고 지냈었고 유치원, 초등학교까지 다 같은 곳에 다녔다. 물론 반은 2학년, 6학년 빼고 다 다른 반이 되었지만, 우린 주말마다 만나서 놀았기 때문에 사이가 멀어지는 일은 없었다.

어찌 됐든 요즘에 느낌이 친구들이 나를 일부러 피하는 것 같았다. 다 같이 나를 싫어하는 건지 거기서 누군가가 나를 이간질하게 하는 건지 모르겠지만 중요한 건 내가 전화를 걸어도, 문자를 보내도 안 받고 안 읽는 것이다. 수진이도 마찬가지였었다.

'내가 믿어왔던 친구들이었는데..'

수진이가 그래도 처음에 따돌리길래 나랑 놀기 싫어서 그런 줄 알았는데 왜 이야기해 준 건지 의문이었다.

"걔들이 말하지 말라고 했는데 사실 걔들이 너 뒷담 까. 낄끼빠빠 못하고 찐따라고."

"너도 같이 깐 거 아니야? 넌 왜 나한테 말해줘?"

“내가 너 뒷담을 왜 까. 그냥 지나가다 들었어.”

내가 낄낄빠빠를 못 한다고? 낄낄빠빠는 ‘낄 때 끼고 빠질 때 빠져라.’라는 말이었다. 그리고 내가 찐따? 내가 내향형이라고 해도 찐따는 아닌데.. 얘들이 나를 그렇게 느꼈나?

나는 그 사실에 충격을 받았다.

‘나대지 말아야지.’

그렇게 학교를 마치고 학원까지 다 속상한 마음으로 보냈다. 오늘 일을 일기에 쓰려고 책상에 앉았는데 어제 엄마와 놀러 갔었던 일기가 없어졌다.

‘나는 분명 썼었는데.’

아무래도 이상해서 엄마한테 물어봤다.

“엄마. 우리 어제 백화점 갔었지?”

“응? 무슨 말 이야? 어제 엄마 동창회 가서 너 종일 놀았잖아”

엥? 그건 그저께 일인데? 어저께는 분명 백화점에 갔다. 현실이 아닌가? 내가 잘못 알고 있었나?

'아! 엄마가 옷을 샀으니 엄마 옷장을 뒤져서 찾으면 되겠다.'

그런 뒤 엄마 옷장으로 향했다. 찾아보니 그 옷이 없었다. 이게 무슨 일이지? 분명 결제했었는데? 나는 무슨 상황인지 이해가 되지 않아 인터넷에 질문하기를 올렸다.

Q 제가 어제 분명 엄마랑 백화점에 간 걸 일기에 썼는데 오늘 쓰려고 보니 없어졌어요. 그래서 엄마한테 물어봤는데 엄마가 그런 적이 없다고 하시네요. 동창회에 가셨다고. 근데 엄마가 동창회를 간 날짜가 그저께였어요. 정말 못 믿겠어서 생각을 해 보는데 그러고 보니 엄마랑 옷을 샀던 게 생각 났어요. 그래서 옷장을 찾아봤는데 아무리 봐도 그때 샀던 옷이 없는 거예요. 이게 어떻게 된 거죠? 마치 어제가 없는 거 같아요. 이게 뭔지 아시는 분들은 알려주세요.

그 후 답변은 달리지 않았다. 이게 무슨 상황이야. 나는 도저히 무슨 일인지 모르겠고 너무 이상했지만, 신경 안 쓰고 학교생활을 했다. 여전히 은따를 당하고 있지만.

그리고 드디어 주말, 엄마가 놀러 가자고 했다. 나는 가기 싫었지만, 엄마가 억지로 끌고 나갔다. 그러곤 지하철을 타고 가려는데 지하철을 바로 앞에서 놓쳤다.

"그러길래 엄마가 빨리빨리 움직이라고 했지. 5분 더 기다려야 하잖아."

'뭐지. 이 장면은.. 분명 어디서 봤는데.'

이 장면은 저번 주에 엄마랑 같이 백화점 간 장면이잖아. 그러고 보니 어디 가는지 안 물어봤잖아.

"엄마. 우리 어디가?"

"우리? 우리 백화점 가잖아. 엄마가 말 안 했었니?"

'백화점? 저번에 갔었는데?'

잠시 후, 백화점에 들어갔고, 엄마가 옷을 골라 달라고 해서 똑같은 옷을 골라주었다. 그리고 엄마가 중식을 먹고 싶다고 하셔서 중식집에 들어가고 메뉴도 똑같이 시켜서 부어 먹었다. 또 짠 거 같이 흰옷이었고 다 묻히며 먹었다. 다음으론 영화를 보러 갔는데 영화도 똑같은 영화였다. 나는 영화 보는 중에 지리고 친구를 만나는 것까지 저번 주랑 똑같았다.

'이건 마치 저번 주랑 똑같은 상황이잖아.'

나는 믿을 수 없었다. 그래서 다시 인터넷에 글을 썼다.

+ 엄마랑 놀러 간 게 다음 주에 일어났어요! 모두 똑같이요! 정말 하나도 다른 일이 없었어요! 이게 뭔가요? ㅠㅠ 제발 알려주세요.

그리곤 3시간 뒤 답변이 하나 도착했다.

지식 온 채택

지식 ON

Q&A

Q 제가 어제 분명 엄마랑 백화점에 간 걸 일기에 썼는데 오늘 쓰려고 보니 없어졌어요. 그래서 엄마한테 물어봤는데 엄마가 그런 적이 없다고 하시네요. 동창회에 가셨다고. 근데 엄마가 동창회를 간 날짜가 그저께였어요. 정말 못 믿겠어서 생각을 해 보는데 그러고 보니 엄마랑 옷을 샀던 게 생각 났어요. 그래서 옷장을 찾아봤는데 아무리 봐도 그때 샀던 옷이 없는 거예요. 이게 어떻게 된 거죠? 마치 어제가 없는 거 같아요. 이게 뭔지 아시는 분들은 알려주세요.
+ 엄마랑 놀러 간 게 다음 주에 일어났어요! 모두 똑같이요! 정말 하나도 다른 일이 없었어요! 이게 뭔가요? ㅠㅠ 제발 알려주세요.

나도 알고싶어요

답변

안녕하세요. 마음이 혼난하신 거 같으신데 저도 이해합니다. 저도 예전에 이런 일이 있었습니다. 이건 1000년에 한 번 찾아오는 초능력입니다. 더 자세히 알고 싶으시다면 주문을 외어 주십시오. 주문은 '신기방기 뿡뿡빵빵뿡뿡빠뿡방기'를 말해 주십시오. 그러면 지금 당장 찾아가도록 하겠습니다!

그래서 나는 속는 셈 치고 외쳤다.

"신기방기 뿡뿡빵빵뿡뿡빠뿡방기!!"

나는 내가 말하고도 쪽팔렸다.

'그러고 보니 맞춤법도 다 틀려있고 애초에 이런 일이 있을 리가 없잖아.'

물론 실제로도 일어나지 않았다.
'역시..'

또 6시간 뒤, 다른 댓글이 달렸다.

예지몽 같습니다. 지금은 안 꾸지만, 저도 예전에 예지몽을 꿨었습니다. 우선 한번 지켜보고 아무래도 이건 꿈에서 본 장면이라고 생각이 드신다면 예지몽이 맞는 것 같습니다. 더 궁금하신 점이 있으시다면 얼마든지 물어보세요.

‘예지몽이라고? 어쩌면 진짜 그럴 수도 있겠는걸. 그 사람 말대로 조금 지켜보면 알 수 있겠지. 그럼 설마 지금 자도 예지몽인가?’

지금까지 지켜본 것을 참고해서 예지몽을 더 조사했다. 예지몽에서 '예지'라는 단어는 '어떠한 일이 일어나기 전에 미리 아는 것'이라는 뜻을 담고 있고 그렇기에 예지몽은 미래에 어떠한 일이 일어나게 될지 미리 보여주는 꿈에 해당한다고 한다. 더 조사를 하려다 다시 꿀지 궁금한 마음에 빨리 잠들었다.

제 3장

오늘은 그때와 같이 상쾌한 하루였다.

'진짜 예지몽인가. 오늘이.. 수요일이네. 근데 지금 시각이.. 7시 50분? 늦었다!'

그렇게 나는 세수하고 교복만 입고 후딱 나왔다. 학교가 멀리 있어 버스를 타야 하는데 버스는 이미 간 후였다.

'아. 어쩌지.. 아니지, 이게 예지몽일 수도 있잖아. 우선 학교로 가 보자!'

역시나 지각해 버렸고 나는 경고를 받고 자리에 앉았다. 앉자마자 수업은 시작했다.

그런데 그 선생님은 우리 담임 선생님이 아니었다. 나는 앞에 앉은 친구에게 물어봤다.

“너 저 사람 누군지 알아?”

“저분.. 아마 교생 선생님 일 걸? 다른 애들이 말한 거 들어보면 우리 쌤 아파서 당분간 못 나오신대”

다행이었다. 우리 담임 선생님은 아침조회도 지루하고 재미없게 하시기로 유명한 선생님이셨다. 게다가 지각을 하면 잔소리도 많이 하시고 화도 많이 내시는 선생님 이셨다. 그럭저럭 수업이 끝나고 점심시간, 나는 점심을 먹으러 내려갔다. 그런데 애들이 북적거렸다.

‘무슨 일이지?’

나는 애들 사이를 비집고 앞으로 갔다. 앞에는 수진이가 있었고 그 옆에는 우리 반에서 꽤 잘 나가던 도현이와 함께였다.

"뭐야? 무슨 일 이야?"

내 옆에 있는 어떤 애가 말했다. 그러고는 그 옆에 친구로 보이는 애가 말해 주었다.

"몰라, 아마 도현이가 재한테 고백하려는 거 같은데?"

공개 고백이라고? 사실 나도 도현이를 좋아하고 있었다. 그래서 나는 도현이가 고백하는 꼴을 보기 싫어 빨리 밥 먹으러 줄을 섰다. 곧 큰 소리가 들려왔다.

"와~~ 잘 어울린다!"

"오래 가라~~"

진짜로 고백한 모양이다. 나는 빨리 밥을 받고 자리에 앉아서 묵묵히 밥을 먹고 혼자서 올라갔다. 그랬더니 수진이랑 도현이가 손을 잡고 이야기하고 있었다.

"야, 김도현! 축구하러 나가자."

"어, 잠시만."

둘이 이야기를 잠깐 한 뒤, 도현이는 축구하러 나가버렸다. 나는 수진이 옆에 앉았다.

"수진아, 너 고백 받았다며?"

나는 애써 모르는 척했다.

"맞아. 너도 아네? 오늘부터 사귀기로 했어~ 나는 원래 공개 고백 싫어하는데 도현이가 그렇게 해주니까.. 거절하기 뭐 해서.. 그냥 받아줬어! 그나저나 도현이가 나 정말 예쁘데! 그리고 도현이 너무 잘생기지 않아? 성격도 너무 좋고 친구들도 다 좋은 거 같아."

그 이후로도 자기 남친 자랑을 끊임없이 했다. 아마 수진이도 내가 도현이 좋아하는 거 알 텐데. 나는 마음이 조금 상했다. 나는 하루 종일 기분이 안 좋았다. 학원도 기분 나쁘게 끝내고 집에 오니 벌써 10시 30분이었다.

'오늘 하루는 정말 별로였어. 지각하고, 도현이도 수진이한테 고백하고.. 이제부터 수진이는 남친 자랑만 매일 하겠지. 아. 진짜 짜증나.. 그리고 요즘에는 수진이가 가스라이팅하는 것 같은 느낌이 들어. 분위기를 보면 수진이가 주도하는 것처럼 보이는데 굳이 나한테 뒷담깠다는 걸 말하지. 어찌 됐든 오늘 다 기분 나쁜 날이야!'

나는 속으로 계속 수진이를 욕하면서 잠이 들었다.

다음날, 나는 또 7시 53분에 일어났다. 어제보다 3분 늦은 시간이었다. 그날 또 대충 준비하고 버스를 타러 나갔다. 이게 무슨 일인가. 오는 버스를 또 놓였다. 그렇게 오늘도 지각하여 경고를 받고 말았다. 오늘도 교생 선생님이 우리 반에 계셨다. 그러던 중 갑자기 선생님이 말을 꺼내셨다.

"안녕, 얘들아? 나는 오늘부터 너희 반을 잠시 맡게 된 김지원이야. 너희 담임이 교통사고를 당하셔서 당분간 학교에 못 나오신단다. 비록 짧은 시간이지만 잘 부탁한다."

'오늘이 처음이라고? 어제도 오셨었는데?'

"야, 저 쌤 어제도 오셨는데 왜 오늘부터라고 하냐?"

나는 어제와 같이 앞에 앉아 있는 친구에게 물었다. 그 친구는 나를 이상한 눈빛으로 쳐다보았다.

"무슨 소리야? 나는 오늘 저 쌤 처음 보는데."

'이건 또 무슨 소리지? 분명 어제 봤는데..? 그런데 오늘 7시 50분에 일어나고 버스까지 놓친 거 보면 어제와 똑같은 장면인

데? 교생쌤이 오늘부터라고 말한 것도 이상하고. 설마 이게 진짜 예지몽? 인터넷에서 본 게 진짜인가?'

나는 거의 90%만큼 확신했다. 그러면 오늘 도현이가 수진이한테 고백할 수도 있다. 나는 이걸 막아야겠다는 생각이 들었다.

'오늘 점심시간에 수진이랑 같이 가자고 해야지! 그리고 절대 안 놔줄 거야!'

나는 수업 시간 동안 도현이가 고백을 못하게 하도록 계획을 짰다. 하지만 생각나는 가장 좋은 방법은 그냥 무작정 수진이를 끌고 가서 빨리 밥 먹고 올라오는 것이었다.

'그러면 도현이가 타이밍을 놓쳐서 고백을 안 하겠지? 절대 놔 주지 않을 거야!'

때마침 점심시간을 알리는 종소리가 들렸다. 나는 수진이한테 재빨리 뛰어갔다.

"수진아! 점심같이 먹자! 빨리!"

나는 수진이를 끌고 급식실로 갔다. 왠지 도현이가 수진이를 계속 보고 있다는 느낌을 받았다. 그러고는 점점 다가오는데 느껴졌다.

"저기 수진아!"

"미안하지만 수진이는 지금 나랑 같이 급식 먹으러 가야 해서.."

나는 도현이의 말을 끊었다.

"뭐야.. 지가 뭔데 말을 끊어."

나는 도현이의 혼잔 말을 들어 버렸다. 그래도 어쩔 수 없었다. 다행히 그 후로는 순조롭게 점심을 먹고 올라왔다. 그때 갑자기 배에서 신호가 왔다. 아마 화장실을 가야 할 거 같았다. 하지만 느낌이 작은 게 아니었다. 도현이가 고백하려는 걸 막으려면 수진이도 함께 가야 안전했지만 같이 가면 수진이가 불쾌해할 것 같았다. 그래서 나는 빨리 갔다 오기로 했다.

"저기. 나 화장실 좀 갔다 올게.! 조금만 기다려."

"응"

나는 빨리 화장실을 갔다. 최대한 빨리 비우고 교실로 돌아갔다. 분위기가 이상했다. 모두 한곳에 몰려 있었다. 거기는 수진이 자리였다.

"설마.. 고백했겠어..?"

나는 서서히 아이들이 몰려 있는 곳으로 갔다. 역시나 도현이랑 수진이가 같이 있었다.

"도현이가 수진이한테 고백할 줄 누가 알았겠어.."

옆에서 누가 말했다.

"역시나.."

나는 결국 막지 못했다. 그리고 나는 저번처럼 물어봤다.

"수진아, 너 고백 받았다며?"

그러자 수진이가 저번이랑 토씨 하나 안 틀리고 똑같이 말했다.

"맞아. 오늘부터 사귀기로 했어~ 나는 원래 공개 고백 싫어하는데 도현이가 그렇게 해 주니까.. 거절하기 뭐 해서.. 그냥 받아줬어! 그나저나 도현이가 나 정말 예쁘데! 그리고 도현이 너무 잘생기지 않아? 성격도 너무 좋고 친구들도 다 좋은 거 같아"

나는 '언젠가 헤어지겠지'라고 생각하고 마음을 접었다.

그나저나 진짜 내가 꾸는 꿈이 예지몽이 맞는 거 같다. 그러면 비록 이번은 실패했지만 다른 일을 잘만 하면 바꿀 수 있을 거라는 마음에 마음이 조금 좋아졌다. 나는 빨리 예지몽을 꾸고 싶은 바람에 일찍 잠이 들었다. 내일은 좋은 일이 생기길 바라며.

제 4장

오늘 아침도 상쾌했다. 그러고 보니 예지몽을 꾸는 날 아침은 다 상쾌했었다. 오늘은 일찍 일어났다. 그래서 여유롭게 준비하고 일찍 나갔다. 오늘따라 학교 가는 사람이 없었다.

'내가 너무 일찍 나왔나?'

뭔가 불길했다. 그래도 일찍 나와서 그런 줄 알고 학교로 향했다. 학교에 들어가 복도를 걷는데 다른 반은 다 어두컴컴했다. 우리 반이 유일하게 빛나고 있었다. 나는 교실로 들어갔다. 아무도 없었다. 분명 이 시간 때쯤 되면 애들이 오는 시간이다. 하지만 아무도 오지 않았다. 이상한 점은 우리의 교실이 난장판이 되어있는 것이었다.

그때, 누군가 들어왔다.

"야! 거기 누구야..?!"

나는 재빨리 뒤를 돌아봤다. 경비 아저씨였다.

"우리 학교 학생이냐? 오늘 학교 안 오는 날인데 왜 왔냐?"

"오늘 쉬는 날인가요? 몰랐는데."

나는 왠지 모르게 긴장되어서 말을 더듬고 말았다.

"그래? 어찌 됐든 오늘은 학교 안 가는 날이니 빨리 집에 돌아가라!"

"네."

'분명 학교에서 말 안 해 줬는데.'

어제 수진이한테만 집중하는 바람에 선생님이 하신 말씀을 못 들은 모양이다.

나는 집으로 돌아가는 중에 수진이를 만났다. 그러나 그 옆에는 친구들이 있었다.

'나에게는 놀자는 말 안 했는데.'

혹시 몰라 핸드폰을 확인 해 봤지만 역시나 아무 메시지도 와 있지 않았다. 나는 수진이에게로 다가갔다.

"수진아! 안녕? 여기서 뭐 해?"

"어..어.. 안녕. 그냥 친구들이랑 놀고 있었지. 하하."

"나도 안 부르고?"

"아..미안 네가 잠자고 있을까 봐.. 너 늦게까지 자잖아."

내가 늦게까지 잠을 자는 건 맞지만 이건 누가 봐도 핑계였다.

"에이.. 거짓말 하지마!"

그러자 수진이가 갑자기 화를 냈다.

“아니 무슨 말을 그렇게 해? 내가 핑계를 댄다고? 솔직히 말해서 내가 너를 부르고 싶지 않으면 안 불러도 되거든. 내가 너를 꼭 부르는 게 의무는 아니잖아. 그리고 뜬금없지만 도현이가 나에게 고백했을 때 너 하루 종일 기분 안 좋은 게 보여서 나도 짜증 났어. 왜 저래 진짜..”

‘어이없어. 오히려 적반하장이잖아?’

나는 그렇게 수진이를 무시하고 집으로 뛰어왔다. 마음속이 답답했다. 그러다 갑자기 이게 예지몽일 수도 있다는 생각이 났다. 그래서 그렇게 생각하기로 하고 학원 숙제를 마치고 일찍 잠에 들었다.

다음 날 아침, 오늘따라 일찍 일어나졌다. 일어나서 달력을 봤다. 날짜를 보니 어제가 예지몽이 맞은 것 같았다. 그래서 준비도 하지 않고 다시 침대에 누웠다. 그러고는 수진이에게 전화를 걸었다. 어차피 나 빼고 놀 생각이니까 내가 먼저 연락하는 게 나을 거 같았기 때문이다. 하지만 전화를 받지 않았다. 나는 다시 한번 전화를 걸었다. 다행히 이번에는 받았다.

"수진아, 일어났어?"

"어. 그럼~ 진작 일어났지."

"오늘 뭐 해?"

"아. 오늘 학교 쉬는 날이라 집에서 쉬려고 하는데."

"그래? 놀자."

"아. 맞다! 사실 약속이 있었다.. 미안.."

"같이 놀면 되지!"

“아마 네가 모르는 친구들이라 불편할 텐데. 괜찮겠어?”

내가 모르는 친구라고?? 어제 봤던 친구는 다 우리 반 친구여서 당연히 안다. 수진이는 거짓말을 하고 있다. 내가 평소에 낯을 많이 가려서 일부로 거짓말을 하는 것이었다.

“난 괜찮아. 몇 시에 만나기로 했는데?”

“아. 잠시만..! 다시 연락할게!!”

뚝.

전화가 끊어졌다. 그러곤 4분 뒤 다시 전화가 왔다.

“여보세요? 아까 왜 끊었어?”

“너 어색할까봐 네가 모르는 애들이랑은 안 만나기로 했어. 이따 8시에 공원으로 나와. 오늘 일찍 만나기로 했어.”

"응. 알겠어. 이따 봐."

굳이 내가 괜찮다는데 일부러 모르는 애들이랑 안 만나기로 했다는 게 웃음이 났다. 너무 지어낸 거짓말 같았기 때문이다. 어쨌든 8시까지 얼마 안 남았으니 재빠르게 준비했다.

8시가 되기 10분 전 평소에 만났던 공원으로 도착했다. 아직 다른 애들은 한 명도 오지 않았다. 잠시 뒤, 수진이와 친구들이 다 같이 왔다. 우리는 평소에 가는 코스가 있다. 인생네컷, 마라탕, 노래방, 베라. 당연히 오늘도 이 코스였다. 평소대로 놀다가 7시쯤 집에 들어왔다. 그런데 오늘 하루 동안 계속 친구들이 나를 은근히 따돌리는 것 같았다. 그러고 보니 최근에 나에게 놀자고 한 적이 없다. 모두 내가 먼저 연락해서 놀았고, 나 빼고 이미 놀고 있을 때가 대다수였다. 예지몽에서도 놀고 있었고 점점 나를 무리에서 떨구려는 것 같았다.

'혹시 예지몽에서 급발진한 것도 일부러 나랑 사이 멀어지려고?'

계속 곰곰이 생각해 봤더니 자존심이 상했다. 차라리 내가 수진이를 손절하는 것이 나을지도 몰랐다. 아마 곧 수진이가 손절치려고 오는데 내가 먼저 치는 것도 나쁘지 않았다. 하지만 수진이와 끊어지면 그 무리 친구들과도 끊길 거고 다른 애들이랑 친해지려고 해도 이미 다른 애들도 무리가 있을 거라 쉽게 끼워주지 않을 것이다. 우선 그대로 지내다 타이밍이 올 때 끊어버려야겠다.

그렇게 벌써 학교 가는 날이 됐다. 시간을 봤더니 5시였다. 나는 일어나기 싫어서 계속 자보려고 노력했지만 아무리 노력해도 잠이 오지 않았다.

어쩔 수 없이 이른 시간에 일어나 세수하고 교복을 입었다. 아직 6시도 되지 않는 시간이었다. 아직 학교 갈 시간이 되지 않아서 아침 스트레칭도 하고 인스타도 보고 유튜브도 봤지만 7시가 겨우 넘어 있었다.

일찍 일어나서 오랜만의 학교에 일찍 갔다. 7시 40분쯤이라 그런지 역시 등교하는 사람은 세, 네 명밖에 없었다. 나는 바로 교문을 지나 교실로 갔다. 교실엔 아무도 없었다. 우리 반에선 내가 제일 일찍 온 것이다. 그러고 나서 대충 20~30분 뒤 친구들이 하나둘씩 들어오기 시작했다. 그때 갑자기 어떤 친구가 말했다.

"뭐야. 내 필통 어디 갔지? 분명 책상 밑에 뒀는데? 어디 간 거지. 설마.. 누가 훔쳐 갔나..?"

"엥. 무슨 소리야 잘 찾아봐 있겠지."

“아니야. 나 여기에만 두는데. 어떡해? 누가 가져갔나..?”

“헐. 진짜? 얘들아, 너희 뭐 사라진 거 있어? 필통이 없어졌다고.. 도둑이 든 거 같데.”

“어? 내 샤프도 없어졌어..! 이거 비싼 샤프인데.”

“나는 책이 없어졌는데? 분명 저번의 학교에 읽고 책상 밑에 넣어 놨단 말이야.”

그 뒤로 아이들은 계속해서 없어진 걸 말했고 없어진 금액은 자그마치 10만 원이었다.

“얘들아. 아무리 사소한 물품이라도 이렇게 넘어가면 일이 점점 커질 수도 있어. 아예 범인을 잡고 가자!”

“오늘 학교에 제일 먼저 온 사람?”

“내가 오늘 두 번째로 왔는데 다연이가 제일 빨리 왔었어.”

내가 얘기하기도 전에 대답했다.

"다연아. 네가 일 등으로 왔어?"

"응."

"너는 뭐 사라진 거 없니?"

다른 애들도 필기구를 많이 잃어버렸으니 나도 책상에서 학용품을 꺼내어 살폈다. 다행히 없어진 물건은 없는 것 같았다.

"나는 없는 것 같은데?"

"그래..?"

"에이.. 다연이가 범인이네.. 아침 시간 빼고 훔칠 시간이 어딨냐? 딱 봐도 다연이가 아침에 아무도 없을 때 훔쳤구만.."

"아니거든..! 증거도 없이 의심 하지마..!"

하지만 맞는 말이었다.
어찌 반박할 수가 없었다.

'이거 저번에 학교 안 가는 날에 왔을 때 불이 켜져 있었으니까 개교기념일에 훔친 거 아닌가? 근데 내가 예지몽 꾼 걸 아무도 안 믿어줄 텐데.. 어떡하냐? 진짜....'

그때, 담임 선생님이 들어오셨다.

"오랜만이야~ 잘 지냈니?"

"선생님!! 저희 반에 도둑 든 거 같아요! 애들이 다 필기구 같은 거 잊어버렸다는데요?"

"근데 오늘 다연이가 학교 제일 빨리 와서 다연이 일걸요."

재는 나를 대놓고 도둑으로 몰고 있다.

"아무런 증거 없이 친구를 몰진 마세요. 그리고 다연이는 이따가 잠깐 선생님 좀 보자."

"네.."

1교시가 끝난 뒤, 나는 교무실로 갔다.

마침 선생님이 기다리고 계셨다.

“다연아, 네가 훔쳤니?”

“아니요. 근데..”

나는 예지몽에 대해 말하기로 결심했다.

“사실.. 제가 예지몽이라는 걸 꿔요. 예지몽이란 현실에서 일어나는 일이 꿈에서 미리 나오는 거에요. 그런데 제가 개교기념일에 또 예지몽을 꿨었는데 그때는 쉬는 날인지 모르고 학교에 왔었어요. 제가 교실에 돌아와 보니 반이 엉망진창이었는데 제 생각에는 그때 도둑이 든 거 같아요.”

“그러면 오늘 내가 학교 왔을 때는 왜 멀쩡했을까?”

“아마 청소하시는 분이 치우시지 않았을까요?”

“음.. 우선 알겠다. 그만 교실로 들어가렴”

나는 그렇게 교실로 들어가서 앉았다.

제 5장

깨어나 보니 여기는 학교 과학실이었다. 보니 우리 반이 과학 실험을 하고 있었고 아주 평화로워 보였다. 갑자기 하얀 연기가 나기 시작했다. 그때, 과학 선생님이 다급하게 말했다.

"여러분~! 모두 대피하세요!"

"여러분~ 모두 빨리 학교 밖으로 대피하세요!"

대피하라는 말을 계속 내뱉고 있었다. 나도 우선 대피했다.

그리고선 오늘 날짜를 확인했다. 예지몽이라면 이 사태를 내가 막을지도 모른다. 오늘은 11월 2일이다.

'어떻게 과학실에서 나는 사고를 예방할 수 있을까?'

차라리 그냥 과학실에 조심하라고 말하는 게 가장 좋은 방법일 수도 있다.

잠에서 깬 후, 날짜를 확인 해 보니 오늘 날짜는 10월 31일! 사실 그건 예지몽 이였고 나는 그 일이 일어나기전 10월 31일로 돌아온 것이다. 나는 준비를 빨리 끝내고 학교로 뛰어갔다.

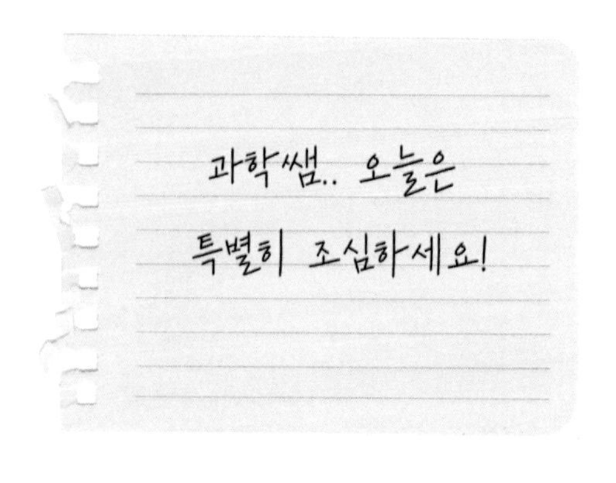

라고 쪽지를 쓰고 과학쌤 책상에 올려놓았다.

'안 좋은 일이 일어나지 않길..'

그렇게 11월 2일, 과학실.

'괜찮을까?'

사실 조금 떨렸다. 하지만 난 아무것도 할 수가 없었다.

'그래..! 이미 내가 할 수 있는 노력을 충분히 했어. 운명에 맡기자!'

딩동댕동

종이 울렸다.
과학책을 들고 자리에서 일어났다. 그리곤 과학실로 향했다.
그렇게 수업 시간, 아직은 평화롭게 실험하고 있었다.

"여러분~ 모두 대피하세요"

'어..? 뭐지.. 설마 진짜 다시 사고 난 거야? 어떡하지? 내가 쓴 걸 못 보셨나?'

우선 대피하긴 했다.

벌떡!

갑자기 꿈에서 깼다.

‘오늘이 며칠이지? 10월 31일? 아니 어떻게 오늘이 10월 31일이지? 설마.. 예지몽을 꾼게 예지몽? 그러면 11월 2일에 또?’

나는 빨리 학교로 뛰어가서 다시 쪽지를 적었다.

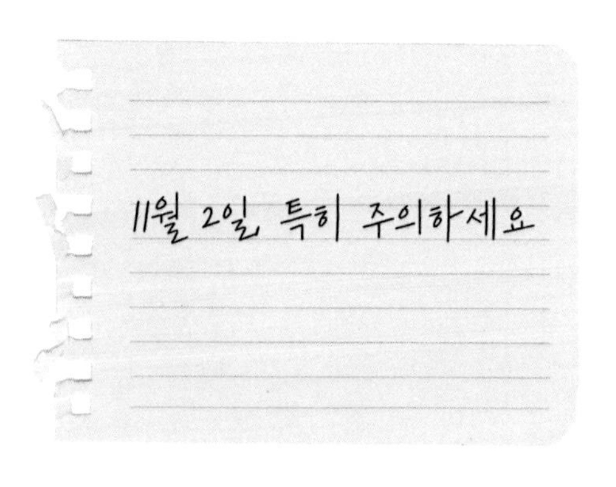

그리고 11월 2일 그 사건이 다시 일어났다.

‘이게 왜 이러지.’

머리가 복잡해졌다.

벌떡!

내가 어떡해야 할지 고민하는 사이, 또 꿈에서 깨어났다. 그 때, 밖에서 라디오가 흘러나왔다.

“안녕하세요. 여러분~ 해피 핼러윈! 오늘은 우리가 기다려 왔던 10월 31일, 핼러윈입니다!”

“핼러윈?”

‘핼러윈이라면 10월 31일..? 하.. 오늘도 10월 31일. 왜 이러지. 왜 계속 반복되는 거야.! 설마 앞으로도 계속 반복되나? 나 여기 꿈에 갇힌 거야?’

그 뒤로 계속 그 사건이 일어났다.

그러던 어느 날 주위를 둘러보려는 순간, 과학 선생님 쪽 책상에서 빛이 번쩍했다.

‘저건 뭐지?’

자세히 보니 패드였다.

'저기에 왜 패드가 있지?'

그때, 나는 역시나 다시 꿈에서 깼다.

나는 과학쌤이 오시기 전에 학교에 가서 확인하기 위해 빨리 준비했다. 7시 40분, 교실에 도착 후 과학실로 뛰어갔다. 어제 봤던 패드가 그대로 있었다. 패드를 확인해 봤더니 지금 나의 모습이 있었다. 근데 뭔가 진짜 나의 모습이 아니라 게임 캐릭터 같은 모습이었다.

'뭐야?! 왜 내가 저기 있어?'

패드 속 사람은 심지어 내가 하는 말까지 따라 했다.

제 6장

"하. 심심해. 뭐 재밌는 게임 없나? 뭐야? 이게 무슨 게임 이길래 1등이야? '재미있는 게임'? 이름부터 재미없어 보이는데. 일등이니까 재밌겠지. 뭐. 평점도 다 좋고. 9만 명이나 설치를?"

'재미있는 게임'이 설치됩니다.

설치가 완료될 때까지 기다리십시오.

...

띵! 설치 완료.

“엄청나게 빨리 설치되네! 빨리 들어가야지!”

재미있는 게임을 설치 해주셔서 감사합니다.

재밌게 플레이하십시오 :)

“자. 이제 시작 해 볼까? 첫 번째는 ‘엄마와 데이트’? 앗! 한 번 죽었다. 다시 도전! 우와 성공!!”

생각보다 재밌어서 조금 죽긴 했지만 여유롭게 ‘과학실 사고’ 스테이지까지 왔다.

“어? 뭐야? 왜 자기 마음대로 움직여?! 왜 키가 안 먹는 거야? 이게 뭔 게임이야. 시간만 날렸네. 이게 왜 1등인지 모르겠네. 아~ 모르겠다. 그냥 잠이나 자야지”

일주일 뒤,

"뭐야. 저장공간이 부족해서 다른 게임을 깔 수가 없잖아.! 필요 없는 게. 재미있는 게임. 이거 삭제해야지~"

재미있는 게임을 삭제하시겠습니까?

...

띠링. 삭제가 완료되었습니다.

제 7장

갑자기 근처가 어두워졌다.

"뭐야. 이게 무슨 일이야?"

잠시 후, 다시 근처가 환해졌다.

하지만 이상한 광경이 펼쳐졌다. 나랑 똑같이 생긴 사람이 벽, 바닥, 천장까지 하얀 방에 수없이 많이 있었다. 방의 크기는 엄청나게 넓었다. 어느 정도냐면 에버랜드와 비슷하게 큰 거 같다. 솔직히 더 클지도 모른다. 내가 보이는 만큼이 그 정도니까. 나랑 똑같은 사람도 자그마치 만 명 이상 있었다. 대충 반응을

살펴보니 나와 똑같은 생각을 하는 것 같았다. 그런데 그중 뭔가 반응이 다른 것 같은 사람이 몇몇 있었다. 나는 제일 가까이 있던 사람에게 다가갔다.

"저기... 여기에 대해서 뭘 좀 아세요?"

"안다고 볼 수 있지. 제일 중요한 건 이건 게임이야. 그리고 삭제가 되면 이 세계로 넘어오지. 내가 아마 제일 첫 번째로 삭제되어서 온 걸 거야."

"네? 게임이요? 더 자세히 알려주세요"

"넌 그냥 게임 캐릭터야. 나도 마찬가지고 여기 있는 사람들도 모두 마찬가지라고. 너는 몇 스테이지까지 갔냐?"

"네? 그게 무슨 말씀이시죠?"

"첫 번째 스테이지가 엄마랑 데이트, 두 번째가 고백, 세 번째부터는 몰라. 나는 세 번째 스테이지를 시작하기 전에 삭제됐거든. 아 맞다! 그러고 보니 여기 있는 사람 모두 패드를 발견했을 때 삭제가 되었다는군."

“아. 저는 과학실까지 갔었는데. 그리고 과학실에서 패드를 발견했고요. 음, 그런데 게임에서도 예지몽을 꾸나요? 저 예지몽 엄청 많이 꿨는데요? 다 각기 다른 꿈으로요!”

“그건 게임 속으로 들어가기 전에 연습이라고 해야 하나.? 그냥 테스트 같은 거라고 볼 수 있겠군. 참! 스테이지를 실패할 때도 우리가 알아차리지 못하게 예지몽이라고 생각하게 한다고 했었던 거 같은데. 그런데 뭐. 그냥 여기서 도는 소문이야.”

‘어? 그러니까 내가 예지몽을 꾸는 이유는 사용자가 실패를 했고 내가 그걸 알아차리지 못하게 하려고 그런 건가? 아니면 그게 테스트? 아.. 모르겠다.’

“그러니까 사용자에 의해 삭제가 되면 이쪽 세계로 오는 거지. 그리고 더는 못 나가. 어디 한번 둘러봐. 나갈 공간이 있는지. 아직 나간 사람은 아무도 없을걸”

나는 그 넓은 공간에서 벽을 따라 계속 걸어도 봤고 여러 사람에게 계속 물어보고 다녔지만, 문은커녕 쥐구멍도 없었다.

그렇게 하 루종일 찾아봐도 방법이 없어 반쯤 포기한 상태였는데...

10만 명 달성!!

갑자기 TV 같은 게 생겨나면서 10만 명 달성이라는 문구가 나왔다.

"저게 뭐야?"

"10만 명 달성이 뭐야??"

사람들의 반응은 대체로 저것이었다.

그때, 전등이 모두 꺼졌다. 그렇게 넓은 공간이 모두 어두컴컴해졌다. 그런데 뭔가 이상하다. 불이 모두 꺼졌는데 사람들의 소리가 하나도 안 들렸다. 분명 큰소리는 아니어도 속닥속닥 거리는 소리라도 들려야 하는데.

‘뭐야. 왜 아무 소리도 안들려? 윽.. 근데 갑자기 왜 이렇게 쪼그라드는 느낌이지? 몸이 불편해.’

제 8장

"뭐야? 벌써 10만 명 달성했어? 언제 이렇게 많이 설치 됐네. 아무리 게임을 잘 만들었어도 이렇게 빨리 달성할 줄은 몰랐는데. 역시 나는 게임 너무 잘 만드는 것 같아! 오랜만에 업데이트나 해 볼까? 우선 오류 수정 먼저 하고."

"아이 참~ 새로 캐릭터 만드는 것도 귀찮은데. 더 좋은 방법이 없을까? 아 맞다! 어차피 10만 명도 됐겠다. 그냥 삭제된 애들 넣어야 하겠다. 이걸 이렇게 요렇게 하면..."

.

.

짠!

"삭제된 애들 넣기 완료! 이제 나는 앉아서 꿀 빠는 일밖에 안 남았네!"

제 9장

"음.. 오늘 따라 왜 이렇게 상쾌하지."

"다연아, 엄마랑 같이 놀러 갈래?"

평소라면 짜증 났을 텐데 오늘따라 기분이 나쁘지 않았다. 그래서 흔쾌히 가자고 했다. 지하철을 타고 가려고 지하철역에 들어갔지만 바로 앞에서 지하철을 놓치고 말았다. 5분 후 다시 지하철이 왔고, 우리는 백화점으로 갔다. 엄마가 옷을 골라달라고 하셔서 한 매장에 들어갔다.

‘어? 이거 어디서 본 원피스인데? 잠시만.’

“엄마, 저거 똑같은 옷 있지 않았어?”

“응? 무슨 소리를 하는 거야? 엄마 저거 처음 보는 옷인데? 내가 바지를 많이 입다 보니 원피스는 다 기억하고 있어.”

‘아닌데. 분명 똑같은 걸 봤는데. 내가 착각했나 보다.!’

계산한 뒤, 배가 고파서 식당가로 향했다. 식당가에는 분식, 스테이크, 중식, 초밥 등 여러 가지 맛있는 음식들이 많았다. 나는 솔직히 초밥이 먹고 싶었지만, 엄마가 해산물을 별로 안 좋아하시기도 하고 중식을 먹고 싶다고 하셔서 우리는 중식집으로 들어갔다. 우리는 자장면과 짬뽕, 탕수육을 시켰다.

어찌저찌 식사가 끝나고 오랜만에 엄마랑 하는 데이트이기 때문에 바로 집에 가지 않고 이번에 새로 나온 영화를 보러 가기로 했다. 마침 두 자리도 남아 있어서 바로 예매하고 팝콘이랑 콜라를 샀다. 아무래도 즉석에서 보러 가는 거라 시간이 촉박했기에 화장실을 갔다 오지 못했다. 우리는 허겁지겁 상영관인 4관에 들어갔고 영화를 보기 시작했다.

1시간쯤 지났을 때 방광에서 신호가 오기 시작했다. 영화 40분 정도 남았을 거라 조금 버텨 보려고 했지만 그대로 지려버렸다. 우선 엄마에게 말하고 화장실로 달려갔다.

그런데 그때 우리 반 애가 있었다.

'하필이면 화장실에서 우리 반 애를 마주치냐!'

'그런데 잠시만.. 이 장면 어디서 본 거 같은데. 이건 진짜 확실해! 그래도 이제 늦었으니 잠이나 자자.'

의심을 품고 잠이 들었다.

자고 일어났을 때, 엄마가 같이 놀러 가자고 했다.

"또?"

"또라니. 엄마랑 놀러 간 지 한참 됐으면서. 빨리 옷 입고 나와."

'어제 놀러갔는데 뭔 한참이래.'

그렇게 엄마랑 놀러 갔는데 이 루틴은 어제 놀러간 거랑 똑같은 코스였다.

'엥? 똑같은 코스잖아. 이게 뭔 일이야?'

나는 나랑 똑같은 상황을 겪는 사람이 있는지 찾아보려고 인터넷을 켰다. 인터넷을 찾아보니 이게 예지몽일 가능성이 높다고 했다. 나 같이 바로 다음 날을 예지할 수 있는 건 아주 특이한 케이스라고 했다.

그 뒤로 친구들도 계속 은따 시키고 도현이가 수진이에게 고백하는 것도 2번, 3번씩 꿈에 나왔고 계속 본 것 같은 일이 일어났다. 또한 실험실에서 사고가 나는 것도 엄청 많이 나왔다. 그런데 이게 예지몽이어서가 아니라 뭔가 다른 느낌으로 반복되는 느낌이 들었다. 그때 확! 생각이 났다. 맞다. 이건 다시 반복되고 있는 것이었다.

다연이는 모든 것이 기억나기 시작했다.

'그래! 다 기억났어.! 이건 게임이었어! 근데.. 이제 어떡하지?'

사실 이 다연이는 게임 속으로 다시 들어가다 시스템 오류로 기억이 모두 삭제되지 않은 상태로 들어가 버린 것이었다.

다연이는 계속 게임이 진행되다 어느 순간 삭제될 거고 그러면 다시 그 하얀 공간으로 갔다가 누군가 게임을 설치하면 다시 그 게임 속으로 들어갈 것이다.

앞으로도 다연이는 계속 그럴 것이고 평생 그렇게 살아야 할 것이다.

혹시나 당신 폰에도 그런 캐릭터가 살고 있을 수도 있다.

작가의 말

막상 책을 쓰려니 주제가 생각이 안 나서 내 이야기를 쓸까? 하고 기억을 더듬어 봤어요. 제가 6살에서 7살 때쯤 키즈카페에서 놀고 있었는데 문득 난 생각이 있었어요. 그 생각은 뭔가 설명하기 어려운데 약간 내가 살아있지 않은 거 같다고 해야 하나? 게임이나 영화, 시뮬레이션 같다고 생각했어요. 한 10살 때까지 그런 생각을 했었는데 그 후로는 다른 생각도 많아지고 현실성 없어, 금방 잊어버렸지만, SNS를 보다 사실 이 세계는 시뮬레이션이라는 영상을 보게 됐어요. 그러다가 주인공을 게임 캐릭터로 하면 어떨까해서 게임을 주제로 정하게 되었어요.

그리고서 책을 쓰기 시작했는데 게임을 지면 어떻게 표현해야 할지 몰라서 예지몽으로 했는데 사실 제가 예지몽을 많이 꿔요. 혹시 책의 앞부분과 뒷부분에 살짝 나온 예지몽을 꾼다는 답변자가 기억나시나요? 그게 어쩌면 저와 비슷할 거 같아요. 저도 막상 일이 일어나면 '이거 꿈에서 봤지!'가 딱 생각났거든요.

이 책은 아마 제 이야기가 많이 들어가 있지 않을까 해요. 여러분도 기억 속에서 이야기를 찾아보세요.

-한세아

우리들 외에도

발　행 | 2023년 12월 07일
저　자 | 한세아
펴낸이 | 한건희
펴낸곳 | 주식회사 부크크
출판사등록 | 2014.07.15.(제2014-16호)
주　소 | 서울특별시 금천구 가산디지털1로 119 SK트윈타워 A동 305호
전　화 | 1670-8316
이메일 | info@bookk.co.kr

ISBN | 979-11-410-5793-0

www.bookk.co.kr